tapas

LA CUISINE ESSENTIELLE

t a p a s

R I C H A R D   T A P P E R

sommaire

t a p a s

introduction

Pour l'Espagnol moyen, le bar à tapas local constitue le lieu privilégié de trois activités appréciées entre toutes : bien manger, bien boire et participer en toute convivialité à des conversations animées. En Espagne, on aime à discuter au café ou au bar, et nul ne songerait à boire un verre sans avoir *algo para picar* – quelque chose à grignoter – en d'autres termes, sans tapas.

Le mot *tapa* signifie littéralement « couvercle »; la coutume des tapas remonte probablement à une pratique qui consistait à placer une petite assiette ou un couvercle sur le verre de vin que l'on servait. On assure aussi qu'un décret séculaire obligeait toutes les tavernes à servir des mets en accompagnement du vin, ce afin que les cochers ne soient pas perpétuellement pris de boisson.

Quelles qu'en soient les origines, l'habitude de se réunir quotidiennement autour des tapas qui agrémentent l'apéritif aussi bien que les conversations fait désormais partie intégrante du mode de vie espagnol. Les tapas ont donné naissance à un style de cuisine à part entière.

Certaines villes, ou à tout le moins certains quartiers des villes espagnoles (les *barrios* du front de mer barcelonais, par exemple) semblent ne receler pratiquement que des bars à tapas dont chacun offre ses spécialités propres. Des établissements servent une demi-douzaine de plats, d'autres soixante-dix ou quatre-vingts ! Des bars de Barcelone aux *tascas* de Madrid, la région d'origine des patrons influe fortement sur le caractère des mets proposés. Il est presque impossible d'aller où que ce soit en Espagne sans rencontrer des bars à tapas basques ou galiciens servant des fruits de mer. On n'oublie pas de sitôt la découverte d'un *pulpo a la gallega* (poulpe à la galicienne) ou d'une douzaine de plats de coquillages différents, sans même évoquer les innombrables manières de préparer les calmars ou l'odeur des crevettes qui grillent dans l'huile d'olive aillée sur leur *plancha*. Ces recettes de fruits de mer des régions du golfe de Gascogne sont les plus faciles à adapter en dehors des contrées où elles ont été créées. Il ne faudrait pas pour autant négliger les mets du Sud aux influences mauresques, tels les *pinchos morunos* (de délicieuses brochettes), ou le riche héritage culinaire de l'intérieur de la péninsule Ibérique – de la véritable tortilla espagnole aux viandes, aux volailles, au gibier, aux haricots et pois chiches, en passant par les centaines de variétés de saucisses et de pâtés. Le littoral méditerranéen et les Baléares offrent également une incroyable profusion de plats de viandes et de fruits de mer.

Les bars à tapas se font aussi connaître par les prédilections de leurs clients en matière de sujets de conversation : pelote basque, corridas, football, beaux-arts, politique… Il semble en particulier que les anciennes gloires du sport espagnol aient trouvé une noble forme de retraite dans la gestion d'un bar à tapas.

Si les tapas sont depuis des temps immémoriaux une grande tradition espagnole, ces deux dernières décennies ont été marquées par l'essor de cette pratique aux États-Unis (notamment à New York et en Californie), puis dans d'autres pays et sur d'autres continents, où la prolifération des bars à tapas témoigne du plaisir que l'on a trouvé à adopter hors de ses terres d'origine un mode de consommation convivial des mets et des vins. Le concept même est aujourd'hui devenu véritablement international, tant les tapas, qui représentent la quintessence de la culture espagnole, se prêtent aisément à diverses adaptations.

Nombre des recettes qui figurent dans le présent ouvrage sont authentiquement espagnoles. Lorsque vous servez des tapas, efforcez-vous de les présenter dans de la vaisselle d'Espagne, et agrémentez-les d'un fond musical d'œuvres de guitare classique espagnole, afin de recréer toute la convivialité d'un véritable bar à tapas.

Buen provecho !

techniques

Empanada

I l existe maintes variétés de ces galettes fourrées que l'on appelle *empanadas*, courantes non seulement en Espagne mais aussi dans le sud-ouest des États-Unis ainsi que dans toute l'Amérique latine. La réussite des empanadas repose sur deux secrets : consistance de la garniture et température de la pâte.

Une bonne garniture doit être raisonnablement épaisse : il ne faut pas qu'elle suinte, car alors il serait difficile de sceller les bords du chausson; elle doit être froide aussi, de façon à ne pas ramollir la galette. Le mieux est de stocker les ronds de pâte au réfrigérateur pour n'en garnir que quatre ou cinq à la fois.

Une pâte maison donne évidemment des résultats incomparablement plus savoureux, mais sachez cependant que l'on trouve de la pâte à empanadas toute faite dans les boutiques de spécialités culinaires espagnoles et sud-américaines. Vous pouvez aussi employer de la pâte à tarte (brisée ou feuilletée) du commerce, dont les abaisses sont à peu près de l'épaisseur requise pour les empanadas. Après avoir découpé les ronds de pâte, laissez-les reposer au moins une demi-heure au réfrigérateur et n'en utilisez que quelques-uns à la fois, comme indiqué précédemment.

1 kg de farine

$^{1}/_{2}$ l d'eau froide

1 bonne pincée de sel

500 g de beurre à température ambiante

Pour 60 empanadas

1 Versez la farine sur un plan de travail et ménagez un creux au centre. Versez progressivement l'eau en mélangeant jusqu'à obtention d'une pâte lisse et facile à travailler. Salez en cours de préparation. Pétrissez la pâte de 7 à 8 minutes, en la tournant et en la repliant continuellement sur elle-même. Mettez la pâte dans un film fraîcheur et laissez reposer au moins ½ h au réfrigérateur.

2 Sur un plan de travail fariné, roulez la pâte en une fine abaisse. Étalez le beurre (à température ambiante, c'est-à-dire facile à étaler mais non fondu) sur toute la pâte. Repliez les bords de la pâte sur le centre à quatre reprises au moins. Emballez de nouveau la pâte et réfrigérez-la ½ h de plus.

3 Roulez de nouveau la pâte sur un plan de travail fariné, en la repliant au moins huit fois. Remettez-la au réfrigérateur ½ h, puis roulez-la en une abaisse de 2 mm d'épaisseur et découpez des ronds de 10 cm de diamètre. Assemblez les chutes, roulez-les pour en faire d'autres ronds. Farinez les ronds de pâte, réfrigérez-les ½ h. Sortez-les du réfrigérateur par paquets de 4 ou 5 pour les garnir.

4 Déposez 1 ou 2 cuillerées à café de garniture au centre de chaque rond de pâte. Repliez en deux puis pincez le rebord entre le pouce et l'index, en le repliant vers l'intérieur pour que la garniture ne risque pas de s'échapper.

Olives marinées

Aceitunas aliñadas

Le maître mot pour que vos olives marinées soient parfaitement réussies : la patience. Laissez-les mariner au moins trois semaines, et jusqu'à six mois.

Olives vertes

250 g d'olives vertes,
non dénoyautées
12 grosses gousses d'ail écrasées
1 cuill. à soupe de fenouil haché
huile d'olive

Égouttez les olives, puis écrasez-les légèrement avant de les mettre dans un bocal en verre avec l'ail et le fenouil. Recouvrez d'huile d'olive. Couvrez et gardez au réfrigérateur, en remuant de temps à autre. Servez à température ambiante.

Olives noires

250 g d'olives noires,
non dénoyautées
2-12 gousses d'ail écrasées
1 ou 2 piments rouges séchés
vinaigre de vin
1 trait de jus de citron

Égouttez et écrasez légèrement les olives, puis mettez-les dans un bocal en verre avec l'ail et les piments. Recouvrez de vinaigre, ajoutez un trait de citron. Couvrez le bocal et entreposez à température ambiante pendant au moins trois semaines.

Olives piquantes

250 g de grosses olives vertes
8 piments verts
vinaigre de vin blanc
1 trait de jus de citron

Dénoyautez les olives et enfoncez un piment dans chaque. Mettez-les dans un bocal, recouvrez de vinaigre et ajoutez un trait de jus de citron. Entreposez à température ambiante pendant au moins trois semaines. Ces olives piquantes, très appréciées dans les bars à tapas d'Espagne, sont délicieuses à l'apéritif.

Poivrons grillés

Pimientos Asados

Les poivrons grillés se savourent seuls, comme ingrédients principaux de nombreux mets ou en tant que garniture. Si vous les servez entiers à l'heure des tapas, mieux vaut choisir de petits poivrons. Utilisés comme ingrédients ou en garniture, ils sont toujours coupés en fines lamelles ou en dés. Ces poivrons sont excellents avec des salades de poulet ou de fruits de mer. Pour un plat à part entière, comptez 6 poivrons rouges.

1 Badigeonnez les poivrons d'huile d'olive et faites-les cuire 30 minutes environ au four à 180-200 °C/Therm. 4-6, ou passez-les au gril jusqu'à ce que la peau noircisse.

2 Pelez et videz les poivrons ; mettez-les dans une jatte.

3 Mélangez les poivrons avec de l'huile d'olive, un peu de jus de citron, du sel et du poivre. Si vous le souhaitez, ajoutez des morceaux d'anchois, de l'oignon haché et du persil ciselé.

Pour 6 personnes.

POIVRONS GRILLÉS

Artichauts farcis

Alcachofas Rellenas

8 artichauts

huile d'olive

60 g d'oignon émincé

250 g de viande de porc maigre hachée

100 g de jambon haché

60 g de chapelure

2 cuill. à soupe de persil haché

sel et poivre du moulin

sauce tomate épicée (voir page 107)

Coupez 2-3 cm au sommet des artichauts. Portez à ébullition une casserole d'eau salée, puis faites cuire les artichauts – ils doivent être tendres sans être trop cuits.

Faites chauffer 1 cuillerée à soupe d'huile d'olive dans une poêle. Ajoutez l'oignon et la viande hachée et faites revenir le tout à feu moyen. Hors du feu, retirez l'excès de graisse. Ajoutez le chapelure et le persil, salez et poivrez, mélangez bien le tout.

Écartez les feuilles des artichauts pour ôter la bourre sans abîmer le cœur. Remplissez les artichauts de farce.

Préchauffez le four à 180 °C/Therm. 4. Coupez la tige des artichauts de façon à ce qu'ils tiennent bien droit dans un plat allant au four. Arrosez-les d'un peu d'huile d'olive et faites cuire 20 minutes. Servez chaud, avec une sauce tomate épicée.

Pour 8 personnes

ARTICHAUTS FARCIS

Artichauts farcis II

Alcachofas Rellenas II

8 artichauts moyens

2 cuill. à soupe de vinaigre
de vin blanc

3 cuill. à soupe d'huile d'olive

60 g d'oignon émincé en petits dés

1 bonne cuill. à soupe
de gingembre frais haché

1 bonne cuill. à soupe
d'ail émincé

1 cuill. à soupe de farine

12 cl de purée de tomate

1 gros poivron rouge, grillé,
pelé et épépiné (voir page 12)
puis réduit en purée

1 cuill. à soupe de beurre fondu

500 g de crevettes roses
décortiquées et hachées

sel et poivre

1 cuill. à soupe de cognac

2 œufs légèrement battus

60 g de chapelure

1 gros poivron rouge vidé
et coupé en petits dés

parmesan râpé (facultatif)

sauce tomate épicée (voir page 107)

Coupez 2 cm au sommet des artichauts. Portez une casserole d'eau à ébullition, ajoutez le vinaigre et faites cuire les artichauts (ils doivent être tendres, mais non trop cuits) avant de les passer à l'eau froide.

Chauffez la moitié de l'huile d'olive dans une poêle. Faites revenir à feu moyen l'oignon, le gingembre et l'ail, pendant 2-3 minutes. Ajoutez la farine, prolongez la cuisson pendant 1 minute sans cesser de remuer, puis les purées de tomate et de poivron ; laissez mijoter 10 minutes.

Pendant ce temps, faites fondre le beurre dans une autre poêle, à feu modéré. Faites cuire brièvement les crevettes ; dès que leur chair blanchit, passez-les à l'eau froide.

Salez et poivrez la préparation à la tomate, ajoutez le cognac et faites réduire 5 minutes avant de laisser refroidir. Ajoutez l'œuf, la chapelure, les dés de poivron et les crevettes.

Écartez les feuilles des artichauts pour ôter la bourre sans abîmer le cœur. Remplissez les artichauts de farce aux crevettes.

Préchauffez le four à 240 °C/Therm. 9. Coupez la tige des artichauts pour qu'ils tiennent bien droit dans un plat allant au four. Arrosez du reste d'huile d'olive et faites cuire 10-15 minutes. Si vous le souhaitez, saupoudrez de parmesan 5 minutes avant de sortir les artichauts du four. Servez chaud avec une sauce tomate épicée.

Pour 8 personnes

Aubergines
au parmesan

Berenjenas con Queso

2 aubergines moyennes

2 œufs

4 gousses d'ail émincées

50 cl d'eau

25 cl d'huile d'olive

farine

200 g de parmesan finement râpé

Coupez les aubergines en rondelles de 1 cm. Dans un saladier, mélangez les œufs, l'ail et l'eau.

Chauffez l'huile d'olive dans une poêle à feu modéré. Roulez les rondelles d'aubergine dans la farine, plongez-les dans la préparation à l'œuf puis dans le parmesan, en veillant à bien enrober les deux faces. Faites dorer dans l'huile (environ 2 minutes de chaque côté), égouttez sur du papier absorbant et servez aussitôt.

Pour 8 personnes

Conseil

Si vous le désirez, gardez un plat d'aubergine au chaud dans le four pendant que vous préparez l'autre, mais sachez que si vous l'y laissez trop longtemps, l'aubergine deviendra molle et aqueuse.

AUBERGINES AU PARMESAN

Aubergines farcies

Berenjenas Rellenas

SAUCE TOMATE AUX FINES HERBES

1 cuill. à soupe d'huile d'olive

2 gros oignons finement hachés

4 gousses d'ail finement hachées

1 bonne cuill. à café
de gingembre frais
finement haché

500 g de tomates fraîches
ou en conserve

basilic haché

coriandre hachée

4 petites aubergines

env. 5 cl d'huile d'olive

1 gros oignon finement haché

6 gousses d'ail finement hachées

1 poivron rouge épépiné
et finement haché

1 bonne cuill. à soupe
de farine avec poudre levante

125 de miettes de pain frais

2 blancs d'œufs battus

sel et poivre

2 cuill. à soupe de parmesan
fraîchement râpé

brins de basilic, pour garnir

Pour préparer la sauce tomate aux herbes : chauffez l'huile d'olive dans une poêle à feu modéré, faites revenir l'oignon, l'ail et le gingembre. Ajoutez les tomates, faites cuire 10 minutes, réduisez en purée au robot ménager puis assaisonnez de basilic et de coriandre. Mesurez 25 cl de sauce et réservez le reste.

Chauffez le four à 240 °C/Therm. 9. Coupez les aubergines en deux dans la longueur ; incisez profondément la chair d'entailles entrecroisées, en veillant à ne pas trancher la peau des aubergines. Enduisez la chair de 2 cuillerées à soupe d'huile, puis déposez les aubergines sur une plaque à pâtisserie et faites cuire 8-10 minutes au four. Évidez les aubergines, en laissant une coque d'environ 1 cm d'épaisseur. Réduisez la chair en purée et réservez-la.

Chauffez 1 cuillerée à soupe d'huile d'olive dans une poêle à feu modéré, faites revenir l'oignon et l'ail pendant 3 minutes, puis ajoutez le céleri et le poivron ; prolongez la cuisson de 3 minutes avant de poursuivre la cuisson 5 minutes de plus avec la sauce tomate réservée et la purée d'aubergines. Hors du feu, incorporez la farine et les miettes de pain. Laissez refroidir 10 minutes puis incorporez les blancs d'œufs. Salez et poivrez.

Garnissez les coques d'aubergine de préparation à la tomate et dressez-les dans un plat huilé allant au four. Recouvrez la moitié de chaque demi-aubergine farcie de parmesan. Faites dorer au four (10-15 minutes), puis déposez des cuillerées de sauce réservée sur l'autre moitié de chaque demi-aubergine. Garnissez de brins de basilic et servez aussitôt.

Pour 8 personnes

Champignons au bacon

Champiñones con Tocino

1 cuill. à soupe d'huile d'olive

125 g de tocino ou de bacon
coupé en dés

2 gousses d'ail finement hachées

500 g de champignons de Paris

12 cl de vin blanc sec

sel

2 cuill. à café de poivre du moulin

1 cuill. à café de persil haché

Chauffez l'huile d'olive dans une poêle, à feu vif, puis faites revenir le tocino pendant 3 minutes. Ajoutez l'ail et les champignons (remuez bien), puis le vin, le sel, le poivre et le persil. Faites cuire à feu vif jusqu'à ce que la majeure partie du vin se soit évaporée (3-4 minutes). Servez très chaud.

Pour 6 personnes

Champignons à l'ail

Champiñones al Ajillo

env. 5 cl d'huile d'olive

6 gousses d'ail finement hachées

500 g de champignons

2 cuill. à soupe de persil haché

1 cuill. à soupe de farine

25 cl d'eau

sel et poivre

le jus de ½ citron

Chauffez l'huile dans une poêle, à feu modéré, puis faites revenir l'ail 1 ou 2 minutes, en veillant à ne pas le faire brûler. Poursuivez la cuisson avec les champignons et le persil, jusqu'à ce que les champignons commencent à rendre leur jus.

Ajoutez la farine en remuant constamment jusqu'à obtention d'une pâte, puis incorporez progressivement l'eau, le sel, le poivre et le jus de citron. Faites mijoter 10 minutes, en ajoutant un peu d'eau si la sauce est trop épaisse. Servez chaud.

Pour 6 personnes

Champignons farcis

Champiñones Rellenos

C hauffez l'huile d'olive dans une poêle assez grande pour contenir les champignons ; ajoutez l'ail, puis les champignons (chapeaux renversés) et faites dorer à feu doux (2 minutes environ). Retirez les champignons de la poêle.

Faites revenir l'oignon et le tocino pendant 2-3 minutes dans la poêle. Enlevez l'excès de liquide. Ajoutez le persil, ôtez du feu et laissez refroidir. Mélangez l'œuf et les miettes de pain au tocino persillé, puis garnissez les chapeaux des champignons de cette farce avant de saupoudrer de parmesan. Passez au gril ou au four préchauffé à 230 °C/Therm. 9. Servez dès que le fromage est bien doré.

Pour 8 personnes

env. 5 cl d'huile d'olive

1 bonne cuill. à soupe d'ail finement haché

32 champignons de Paris d'environ 5 cm de diamètre, équeutés

1 cuill. à soupe d'oignon finement haché

30 g de tocino ou de bacon haché

1 cuill. à soupe de persil finement haché

1 œuf légèrement battu

2 cuill. à soupe de miettes de pain frais

2 cuill. à soupe de parmesan fraîchement râpé

CHAMPIGNONS FARCIS

Salade de pommes de terre

Ensaladilla

Dans un grand saladier, mélangez les pommes de terre, les carottes, les petits pois et la mayonnaise ; salez et poivrez. Pour une saveur optimale, laissez reposer une heure à température ambiante.

Pour 8 personnes

6 pommes de terre cuites à l'eau,
pelées et coupées en dés
60 g de carottes cuites coupées en dés
60 g de petits pois cuits
25 cl de mayonnaise à l'ail (voir page 107)
sel et poivre
1 poivron rouge et 1 poivron vert, grillés,
pelés et vidés (voir page 12),
puis découpés en lamelles
brins de persil pour garnir

Conseil

Cette salade de pommes de terre à la mayonnaise, servie dans tous les bars à tapas d'Espagne, est toujours l'un des premiers plats à y être présentés – en abondance tout d'abord, pour diminuer au fil de la journée et au gré de l'appétit des consommateurs.

SALADE DE POMMES DE TERRE

Pommes de terre
à la sauce épicée

Patatas Bravas

Préchauffez le four à 240 °C/Therm. 9. Chauffez 4 cuillerées à soupe d'huile d'olive dans une poêle, à feu vif. Lorsque l'huile commence à fumer, faites dorer les pommes de terre. Versez le tout dans un plat à rôtir et achevez la cuisson des pommes de terre (15 minutes environ).

Dans l'intervalle, chauffez 1 cuillerée à soupe d'huile dans une poêle, à feu modéré, puis faites revenir l'ail et l'oignon pendant 3 minutes ; poursuivez la cuisson de 10 à 12 minutes avec les autres ingrédients de la sauce. Égouttez les pommes de terre puis dressez-les dans un grand plat ou dans des plats individuels. Nappez de sauce, remuez et servez aussitôt.

Pour 8 personnes

5 cuill. à soupe d'huile d'olive

8 grosses pommes de terre, pelées
et coupées en dés de 4 cm

1 gros oignon finement haché

3 gousses d'ail finement hachées

2 cuill. à soupe de persil finement haché

3 piments frais, épépinés et hachés, ou 1 cuill.
à soupe de sauce pimentée (voir pages 106-107)

50 cl de tomates en conserve réduites en purée

12 cl de vin blanc sec

sel

chorizo haché (facultatif)

POMMES DE TERRE À LA SAUCE ÉPICÉE

Empanadas d'épinards

Empanadas de Espinacas

1 cuill. à soupe d'huile d'olive

2 gousses d'ail finement hachées

2 cuill. à soupe de chorizo
coupé en petits dés (facultatif)

1 grosse botte d'épinards frais,
lavés et hachés

1 gros poivron rouge, grillé,
pelé et vidé (voir page 12)
puis coupé en lamelles

sel et poivre

pâte à empanadas (voir page 8)

1 œuf battu avec 2 cuillerées
à café d'eau

Chauffez l'huile dans une poêle, à feu modéré, puis faites revenir l'ail et le chorizo pendant 1 minute avant de faire cuire les épinards en les remuant jusqu'à ce qu'ils soient flétris ; ajoutez les lamelles de poivron, ôtez du feu et laissez refroidir.

Exprimez soigneusement le liquide de la préparation aux épinards. Salez et poivrez. Déposez 2 cuillerées à café de préparation aux épinards au centre de chaque rond de pâte (pensez à ne sortir que 4 ou 5 ronds du réfrigérateur à la fois). Repliez la pâte sur la garniture et pincez les bords pour obtenir de petits chaussons. Réfrigérez au moins 15 minutes.

Préchauffez le four à 240 °C/Therm. 9. Déposez les empanadas en les espaçant d'au moins 2 cm sur une plaque à pâtisserie graissée. Badigeonnez de préparation à l'œuf puis faites dorer au four (5-6 minutes). Servez aussitôt.

Pour 8-10 personnes

EMPANADAS D'ÉPINARDS

Empanadas de poisson

Empanadas de Pescado

Chauffez l'huile dans une poêle, à feu modéré, puis faites revenir l'ail et l'oignon ; quand ils sont translucides, poursuivez la cuisson avec la tomate, le piment, le sel et le poivre. Quand la sauce à épaissi, ajoutez le persil et la purée de tomate, laissez cuire 3-4 minutes puis ôtez du feu et laissez refroidir avant de mélanger le poisson, l'œuf et le poivron.

Préchauffez le four à 240 °C/Therm. 9. Déposez 2 cuillerées à café de préparation au poisson au centre de chaque rond de pâte (pensez à ne sortir que 4 ou 5 ronds du réfrigérateur à la fois). Repliez la pâte sur la garniture et pincez les bords. Réfrigérez au moins 15 minutes.

Déposez les empanadas en les espaçant d'au moins 2 cm sur une plaque à pâtisserie graissée. Badigeonnez de préparation à l'œuf puis faites dorer au four (5-6 minutes). Servez aussitôt.

Pour 8-10 personnes

2 cuill. à soupe d'huile d'olive

60 g d'oignon finement haché

2 gousses d'ail finement hachées

1 grosse tomate finement hachée

1 gros piment rouge vidé et haché

sel et poivre

1 cuill. à soupe de persil haché

1 cuill. à soupe de purée de tomate diluée avec un peu d'eau

250 g de poisson à chair ferme (thon ou morue, par ex.)

cuit et débarrassé de ses arêtes

1 œuf dur haché

1 poivron rouge grillé, pelé et vidé (voir page 12)

puis coupé en dés

pâte à empanadas (voir page 8)

1 œuf battu avec 2 cuill. à café d'eau

EMPANADAS DE POISSON

Empanadas de chorizo et d'olives

Empanadas de Chorizo y Aceitunas

60 g de chorizo finement haché

30 d'olives vertes fourrées
au piment, finement hachées

1 cuill. à soupe de poivron rouge
finement haché

24 ronds de pâte à empanadas
(voir p. 8)

1 œuf battu avec 2 cuill. à soupe d'eau

Dans une jatte, mélangez le chorizo, les olives et le poivron. Déposez 1 ou 2 cuillerées à café de préparation au chorizo au centre de chaque rond de pâte, sans oublier de ne sortir que 4 ou 5 ronds du réfrigérateur à la fois. Repliez la pâte sur la garniture et pincez les bords. Réfrigérez au moins 15 minutes.

Préchauffez le four à 240 °C/Therm. 9. Déposez les empanadas en les espaçant d'au moins 2 cm sur une plaque à pâtisserie légèrement graissée. Badigeonnez de préparation à l'œuf. Faites dorer au four (environ 5 minutes) et servez aussitôt.

Pour 6-8 personnes

EMPANADAS DE CHORIZO ET D'OLIVES

Empanadas épicées aux fruits de mer

Empanadas de Mariscos Picantes

30 g de beurre

250 de grosses crevettes roses
décortiquées et hachées

250 g de pétoncles
(ou de Saint-Jacques) hachées

1 oignon finement haché

2 gousses d'ail finement hachées

1 bonne cuill. à café de gingembre
frais pelé et finement haché

1 cuill. à soupe de poudre
de curry relevée

1 cuill. à soupe de farine

12 cl de lait de coco

1 cuill. à soupe de coriandre
fraîche hachée

sel

1 bonne cuill. à café de sauce
pimentée (voir pages 106-107)

1 œuf battu avec 2 cuillerées
à café d'eau

Faites fondre 15 g de beurre dans une poêle, à feu modéré, puis faites revenir les fruits de mer hachés jusqu'à ce que les crevettes changent de couleur. Versez crevettes et pétoncles dans une passoire, passez-les sous le robinet d'eau froide et réservez.

Dans une poêle, faites fondre le reste du beurre puis faites revenir l'oignon, l'ail et le gingembre pendant 3 minutes environ avant de poursuivre la cuisson pendant 3 minutes avec la poudre de curry et la farine, sans cesser de remuer (pour obtenir un roux). Ajoutez le lait de coco, la coriandre, le sel et la sauce pimentée ; poursuivez la cuisson pendant 3-4 minutes en remuant pour que la sauce soit bien homogène. Incorporez les crevettes et les pétoncles, retirez immédiatement du feu et laissez refroidir.

Préchauffez le four à 240 °C/Therm. 9. Déposez 2 cuillerées à café de préparation aux fruits de mer au centre de chaque rond de pâte, sans oublier de ne sortir que 4 ou 5 ronds du réfrigérateur à la fois. Repliez la pâte sur la garniture et pincez les bords pour les sceller. Réfrigérez au moins 15 minutes. Disposez les empanadas sur une plaque à pâtisserie graissée, en les espaçant d'au moins 2 cm. Badigeonnez de préparation à l'œuf, faites dorer au four pendant 5-6 minutes puis servez aussitôt.

Pour 8-10 personnes

EMPANADAS ÉPICÉES AUX FRUITS DE MER

Œufs à l'andalouse

Huevos a la Flamenca

2 cuill. à soupe d'huile d'olive

1 oignon finement haché

2 gousses d'ail finement hachées

500 g de tomates en conserve
grossièrement hachées

200 g de serrano
ou autre jambon cru

2 chorizos coupés en rondelles
de 1 cm

12 œufs

24 petites asperges en conserve

1 poivron rouge grillé, pelé et vidé
(voir page 12) puis coupé
en lamelles

1 cuill. à soupe de persil
finement haché

poivre du moulin

Chauffez l'huile dans une poêle, à feu modéré, puis faites revenir l'ail et l'oignon pendant 3 minutes avant de poursuivre la cuisson 10 minutes avec les tomates. Dans une autre poêle, faites cuire le jambon et le chorizo pendant 3 minutes à feu modéré.

Préchauffez le four à 200 °C/Therm. 6. Répartissez la préparation à la tomate dans 6 ramequins. Cassez 2 œufs dans chaque ramequin, puis entourez-les de jambon, de chorizo, d'asperges et de lamelles de poivron. Poivrez et parsemez de persil. Faites cuire au four 10 minutes environ. Servez lorsque les blancs d'œufs sont cuits mais les jaunes encore liquides.

Pour 6 personnes

Conseils

Comme son nom l'indique, cette recette est originaire d'Andalousie, province du sud de l'Espagne où vit une importante proportion de la population gitane du pays. Les huevos a la flamenca *sont appréciés dans toute la péninsule Ibérique. Vous pouvez relever ce mets en ajoutant une cuillerée à soupe de sauce pimentée (voir pages 104-105) à la préparation à la tomate. Si vous le souhaitez, saupoudrez de parmesan, mais avec modération.*

ŒUFS À L'ANDALOUSE

Œufs durs épicés

Huevos Duros Picantes

Dans une grande poêle à frire, chauffez l'huile à feu modéré puis faites revenir l'ail, le gingembre et l'oignon jusqu'à ce que ce dernier soit translucide; poursuivez la cuisson pendant 2 minutes avec les épices, sans cesser de remuer. Retirez du feu et laissez refroidir.

Mélangez la préparation aux oignons et le lait de coco au robot ménager, remettez-la dans la poêle et portez à ébullition. Ajoutez les œufs, réduisez le feu et laissez mijoter 30 minutes à feu doux, en remuant de temps à autre. Servez garni de brins de coriandre.

Pour 8 personnes

2 cuill. à soupe d'huile d'olive

2 gousses d'ail finement hachées

2 cuill. à café de gingembre frais pelé
et finement haché

1 oignon émincé

1 cuill. à café de cumin moulu

1 cuill. à café de coriandre moulue

1 cuill. à café de curcuma moulu

1 cuill. à soupe de piment rouge épépiné et haché

40 cl de lait de coco

8 œufs durs

brins de coriandre pour garnir

ŒUFS DURS ÉPICÉS

Œufs au thon-mayonnaise

Huevos con Mayonesa de Atún

8 œufs durs coupés en deux dans la longueur

100 g de thon en conserve égoutté

40 cl de mayonnaise à l'ail (voir page 107)

1 cuill. à soupe de jus de citron

16 filets d'anchois

1 poivron rouge grillé, pelé et vidé (voir page 12)

puis coupé en lamelles

brins de cresson pour garnir

Déposez 2 demi-œufs, côté jaune au-dessous, sur chaque assiette de service. Passez le thon au chinois dans une jatte, puis ajoutez progressivement la mayonnaise en fouettant jusqu'à ce que la préparation soit le plus homogène possible. Arrosez de jus de citron, puis enrobez les œufs d'une épaisse couche de préparation au thon avant de déposer les filets d'anchois et les lamelles de poivron sur les œufs, que vous servirez décorés de brins de cresson.

Pour 8 personnes

Œufs farcis au saumon

Huevos Duros Rellenos

6 œufs durs

150 g de saumon en boîte, égoutté

6 olives vertes dénoyautées et finement hachées

2 cuill. à soupe de mayonnaise

(nature ou à l'ail – voir page 107)

1 cuill. à café de paprika

1 bonne cuill. à café de persil haché

2 cuill. à café de jus de citron

sel et poivre

1 tranche de saumon fumé découpée en fines lamelles

1 poivron vert vidé et découpé en fines lamelles

Coupez les œufs en deux dans la longueur. Ôtez les jaunes et réservez-en quatre pour un autre usage. Mettez les deux jaunes restants dans une jatte puis ajoutez le reste des ingrédients à l'exception du saumon fumé et du poivron. Mixez soigneusement.

Versez la préparation au jaune d'œuf dans une poche à douille et remplissez-en les blancs. Déposez les lamelles de saumon fumé et de poivron vert sur le dessus.

Pour 6 personnes

ŒUFS FARCIS AU SAUMON

Tortilla espagnole

Tortilla Española

3 cuill. à soupe d'huile d'olive
(ou plus)
5 pommes de terre pelées et coupées
en fines rondelles
2 gros oignons coupés
en fines rondelles
15 œufs
sel

Dans une poêle anti-adhérente à fond épais de 25 cm de diamètre et d'une profondeur de 5 cm, chauffez 2 cuillerées à soupe d'huile d'olive, à feu très vif (adaptez les quantités en fonction de la taille de votre poêle). Le secret de la réussite de cette recette réside dans la température extrêmement élevée à laquelle doit être portée la poêle. Lorsque l'huile se met à fumer, ajoutez progressivement les pommes de terre pour recouvrir le fond de la poêle d'une couche unique de rondelles. Déposez une couche d'oignon sur les pommes de terre, puis une nouvelle couche de pommes de terre, et ainsi de suite jusqu'à ce que toutes les rondelles soient utilisées. Faites cuire en retournant fréquemment le tout jusqu'à ce que les pommes de terre soient tendres, puis ôtez du feu et versez pommes de terre et oignons dans un grand saladier. Nettoyez soigneusement la poêle.

Dans une jatte, fouettez les œufs avec un peu de sel, puis mélangez-y les pommes de terre et les oignons cuits. Faites chauffer dans la poêle 1 cuillerée à soupe d'huile. Lorsqu'elle commence à fumer, versez la préparation aux œufs dans la poêle et remuez en détachant la préparation du fond de la poêle, jusqu'à ce que la moitié de l'œuf soit cuit. Secouez la poêle et aidez-vous d'une spatule pour éviter que l'omelette n'attache. Lorsque l'omelette est cuite sur les trois quarts de son épaisseur et le fond bien doré, posez une assiette à l'envers sur la poêle et renversez la tortilla dessus.

Nettoyez rapidement la poêle ; versez-y un peu d'huile d'olive. Faites glisser l'omelette dans la poêle, côté non cuit sur le fond, et poursuivez la cuisson jusqu'à ce que la tortilla soit ferme sur toute son épaisseur. Renversez sur un plat de service et laissez reposer de 5 à 10 minutes avant de couper en parts. En Espagne, la tortilla se sert tiède ou à température ambiante.

Pour 12-16 personnes

Conseils

L'omelette espagnole, la fameuse tortilla, est sans conteste la spécialité culinaire la plus fréquemment savourée dans ce pays. Une authentique tortilla espagnole ne comprend que trois ingrédients principaux : des pommes de terre, des oignons et des œufs.

TORTILLA ESPAGNOLE

Tortilla aux champignons

Tortilla de Champiñones

3 cuill. à soupe d'huile d'olive

1 oignon finement haché

500 g de champignons émincés

12 œufs

Chauffez 2 cuillerées à soupe d'huile d'olive dans une poêle d'une vingtaine de centimètres de diamètre, profonde d'environ 5 cm, à feu modéré. Faites revenir l'oignon et les champignons pendant 4-5 minutes. Pendant ce temps, battez les œufs salés et poivrés dans une jatte. Versez l'oignon et les champignons dans une passoire tapissée de papier absorbant, égouttez soigneusement puis ajoutez cette préparation aux œufs.

Essuyez la poêle, remettez-la sur le feu, et chauffez 1 cuillerée à soupe d'huile. Lorsque l'huile commence à fumer, ajoutez la préparation et détachez-la à cinq ou six reprises du fond en cours de cuisson. Faites cuire l'omelette sur les trois quarts de son épaisseur, en secouant la poêle pour éviter que l'œuf n'attache. Posez une grande assiette à l'envers sur la poêle et renversez l'omelette dessus. Faites glisser la tortilla dans la poêle, côté non cuit sur le fond, puis achevez la cuisson. Servez en 12 portions.

Pour 12 personnes

TORTILLA AUX CHAMPIGNONS

Tortilla aux courgettes

Tortilla de Calabacines

300-400 g de courgettes
coupées en rondelles de 1 cm

12 œufs

sel et poivre

2 cuill. à soupe d'huile d'olive

50 g d'oignon finement haché

1 gousse d'ail finement hachée

Faites cuire les rondelles de courgettes pendant 3 minutes dans 2 cm d'eau bouillante, puis égouttez-les.

Dans une grande jatte, battez les œufs salés et poivrés. Chauffez 1 cuillerée à soupe d'huile dans une poêle de 20 cm de diamètre et 5 cm de hauteur, à feu modéré, puis faites sauter l'ail et l'oignon pendant 2-3 minutes. Égouttez puis mélangez avec les œufs, ainsi que les courgettes.

Dans la même poêle, chauffez 1 cuillerée à soupe d'huile. Lorsqu'elle fume, versez la préparation à l'œuf et remuez-la en la détachant du fond de la poêle, à cinq ou six reprises. Lorsque l'omelette est cuite sur les trois quarts de son épaisseur, posez une grande assiette à l'envers sur la poêle et renversez la tortilla dessus. Faites-la de nouveau glisser dans la poêle, côté non cuit sur le fond, puis poursuivez la cuisson jusqu'à ce que l'omelette ait entièrement pris. Pour servir, coupez la tortilla en 12 portions égales.

Pour 12 personnes

TORTILLA AUX COURGETTES

Tortilla épicée aux crevettes

Tortilla de Gambas Picantes

3 cuill. à soupe d'huile d'olive
(ou plus si besoin)
2 grosses pommes de terre
épluchées et coupées
en fines rondelles
1 gros oignon coupé
en fines rondelles
15 œufs
1 cuill. à café de sel
4 piments rouges épépinés et hachés
ou 1 cuill. à soupe de sauce
pimentée (voir pages 106-107)
350-400 g de grosses crevettes
décortiquées, nettoyées et hachées

Chauffez 2 cuillerées à soupe d'huile d'olive dans une poêle de 15-20 cm de diamètre, profonde d'environ 5 cm (à feu modéré). Lorsque l'huile se met à fumer, étalez la moitié des pommes de terre en couche régulière dans la poêle, recouvrez d'oignon puis ajoutez le reste des pommes de terre. Retournez fréquemment la préparation jusqu'à ce que les pommes de terre soient cuites, en veillant à ne pas les laisser brûler. Retirez du feu.

Battez les œufs avec le sel dans une jatte assez grande pour contenir tous les ingrédients, avant d'ajouter les piments, les crevettes et la préparation aux pommes de terre. Remuez soigneusement.

Essuyez la poêle avant d'y faire chauffer 1 cuillerée à soupe d'huile. Lorsque l'huile fume, versez la préparation aux œufs; en cours de cuisson, détachez-la à cinq ou six reprises du fond de la poêle. Lorsque la tortilla est à demi cuite, réduisez le feu, remuez la poêle et glissez une spatule sur les côtés et le dessous de l'omelette pour l'empêcher d'attacher. Lorsque la tortilla est presque cuite, posez une grande assiette à l'envers sur la poêle et renversez l'omelette dessus.

Remettez la poêle à feu vif, en veillant à ce qu'aucun petit morceau de tortilla n'attache et ne brûle (ajoutez de l'huile si nécessaire). Faites glisser l'omelette dans la poêle, côté non cuit sur le fond. Réduisez le feu puis achevez la cuisson. Renversez la tortilla sur un plat et laissez-la reposer quelques minutes avant de la couper en parts. Servez la tortilla chaude ou – comme on le fait plus fréquemment en Espagne – à température ambiante.

Pour 8 personnes

TORTILLA ÉPICÉE AUX CREVETTES

Poivrons farcis

Pimientos Rellenos

6-8 petits poivrons rouges

2 cuill. à soupe d'huile d'olive

(un peu plus pour badigeonner)

50 g d'oignon haché

2 gousses d'ail finement hachées

100-150 g de tomates en conserve

finement hachées

2 piments rouges épépinés et hachés

12 moules cuites et coupées en dés

250 g de coques en conserve,

égouttées

1 cuill. à soupe de persil haché

sel et poivre

50 g de riz blanc cuit

Les ingrédients employés dans la préparation de nombreux mets traditionnels espagnols diffèrent d'une maison à l'autre, d'un bar à l'autre, d'un restaurant à l'autre, d'une région à l'autre. On peut fort bien commander un plat dans dix endroits différents et s'en voir proposer dix versions différentes, bien que toutes portent le même nom. Les pimientos asados (poivrons grillés) en sont un bon exemple. Vous trouverez ici les deux variantes les plus appréciées en Espagne.

Préchauffez le four à 200 °C/Therm. 6. Badigeonnez les poivrons d'un peu d'huile d'olive et faites-les cuire 15 minutes sur la plaque du four. Incisez autour des tiges des poivrons, détachez-les et réservez. Épépinez les poivrons.

Chauffez 2 cuillerées à soupe d'huile d'olive dans une poêle, à feu modéré, puis faites revenir l'ail et l'oignon; lorsqu'ils sont translucides, poursuivez la cuisson avec les tomates et les piments jusqu'à obtention d'une sauce homogène. Salez et poivrez, ajoutez les moules, les coques et le persil, puis, hors du feu, le riz.

Préchauffez le four à 190 °C/Therm. 5. Garnissez les poivrons de préparation au riz, sans trop les remplir car le riz a besoin de place pour gonfler. Replacez les tiges. Disposez les poivrons dans un plat, badigeonnez-les d'un peu d'huile d'olive, puis laissez-les 10-15 minutes au four. Servez chaud.

Pour 6-8 personnes

Croquettes de pommes de terre au jambon

Croquetas de Patata y Jamón

30 g de beurre

100 g de jambon haché

1 bonne cuill. à café de farine

12 cl de lait (plus si nécessaire)

1 cuill. à soupe de persil haché

sel et poivre

3 grosses pommes de terre
cuites à l'eau et réduites en purée

1 trait de jus de citron

farine pour enrober

2 œufs battus avec un peu d'eau

chapelure pour enrober

huile de friture

Le bar à tapas espagnol ne se conçoit pas sans au moins une version des fameuses croquettes. Qu'elles soient au jambon, au poulet, aux crevettes, au poisson, aux légumes, à la viande ou même au riz, elles sont toujours à base soit de purée de pommes de terre (ce qui est le cas de cette première recette), soit de pâte à la farine et au lait réduite en miettes et frite. Les unes comme les autres sont délicieuses. Lorsque vous faites frire des croquettes, veillez à ce que l'huile soit assez chaude, faute de quoi elles se désagrégeraient.

Faites fondre le beurre dans une poêle, à feu modéré, en veillant à ne pas le faire brûler, puis faites chauffer le jambon à feu doux pendant 2 minutes avant d'ajouter la farine puis 12 cl de lait, le persil. Salez (si le jambon n'est pas trop salé) et poivrez. Poursuivez la cuisson 1 minute puis incorporez la purée et le jus de citron.

Si la préparation est trop sèche, ajoutez un peu de lait, avec précaution toutefois. Laissez refroidir, puis réfrigérez au moins 1 h 30 (et jusqu'à 48 heures).

Façonnez des cylindres de pâte longs de 7-8 cm et épais de 2 à 3 cm. Roulez-les dans la farine, plongez-les dans l'œuf battu puis enrobez-les de chapelure. Pour un résultat optimal, réfrigérez les croquettes pendant au moins ½ heure.

Dans une poêle, faites chauffer suffisamment d'huile pour recouvrir les croquettes. L'huile de friture est prête quand un dé de pain plongé dans l'huile chaude grésille instantanément. Faites dorer les croquettes dans l'huile chaude, en les retournant à mi-cuisson. Égouttez-les sur du papier absorbant et servez aussitôt.

Pour 6 personnes

Croquettes de poisson

Croquetas de Pescado

100 g de beurre

125 g de farine

25 cl de lait

12 cl de vin blanc

2 cuill. à café de paprika fort

sel et poivre

300 g de filet de morue

ou autre poisson à chair blanche

100 g de crevettes roses

décortiquées, nettoyées et hachées

30 g de persil haché

100 g de moules cuites

et hachées menu

farine pour enrober

2 œufs battus avec un peu d'eau

chapelure pour enrober

huile de friture

Cette recette de croquettes est à base de pâte à la farine et au lait.

Faites fondre le beurre à feu doux dans une poêle, ajoutez la farine en remuant pendant 2-3 minutes, en veillant à ce que ce roux ne brûle pas ; incorporez progressivement le lait et le vin, sans cesser de battre. Assaisonnez de paprika, salez et poivrez. Fouettez jusqu'à ce que la pâte soit parfaitement homogène.

Incorporez le poisson, les crevettes et le persil, faites cuire 5 minutes, retirez du feu et ajoutez les moules. Laissez refroidir puis réfrigérez au moins 3-4 heures (ou de préférence jusqu'au lendemain).

Façonnez des croquettes de 7-8 cm de long et 2-3 cm de diamètre ; roulez-les dans la farine, plongez-les dans l'œuf battu puis enrobez-les de chapelure. Pour un résultat optimal, réfrigérez-les au moins ½ heure.

Dans une poêle, chauffez assez d'huile pour recouvrir les croquettes. L'huile de friture est prête quand un dé de pain plongé dans l'huile chaude grésille instantanément. Faites dorer les croquettes, en les retournant à mi-cuisson. Égouttez-les sur du papier absorbant et servez aussitôt.

Pour 12-15 personnes

CROQUETTES DE POISSON

Croquettes de légumes

Croquetas de Verduras

Réduisez les haricots rouges en purée au robot ménager puis, dans une jatte, mélangez-les soigneusement avec les pommes de terre, le céleri, l'oignon, le persil et 1 œuf. Cette préparation doit être assez ferme pour être façonnée en croquettes. Dans le cas contraire, ajoutez de la chapelure jusqu'à obtention de la consistance souhaitée.

Façonnez la préparation en croquettes cylindriques de 7-8 cm de long et 2-3 cm de diamètre. Dans une poêle, chauffez assez d'huile pour recouvrir les croquettes; portez-la à 180 °C (utilisez un thermomètre à friture).

Dans une jatte, battez légèrement 2 œufs et l'eau. Roulez les croquettes dans la farine, plongez-les dans l'œuf battu puis roulez-les dans la chapelure. Faites frire les croquettes puis, quand elles sont bien dorées, égouttez-les sur du papier absorbant et servez aussitôt.

Pour 10-12 personnes

450 g de haricots rouge en conserve, égouttés

500 g de pommes de terre cuites à l'eau et réduites en purée

1 cuill. à soupe de céleri finement haché

1 cuill. à soupe d'oignon finement haché

1 cuill. à soupe de ciboule finement hachée

1 cuill. à soupe de persil finement haché

3 œufs

farine pour enrober

3 cuill. à soupe d'eau

chapelure pour enrober

huile de friture

CROQUETTES DE LÉGUMES

Beignets de légumes

Verduras Fritas

Dans une jatte, fouettez l'eau, la farine de froment et la Maïzena jusqu'à obtention d'une pâte homogène. Lorsque vous plongez un doigt dans cette pâte, celle-ci doit s'écouler en laissant une fine couche sur le doigt. Sans cesser de battre, ajoutez le sel, le jus de citron et le jaune d'œuf. Réfrigérez un quart d'heure environ.

Dans une poêle creuse, faites chauffer 7-8 cm d'huile à 180 °C (utilisez un thermomètre à friture). Roulez les légumes dans la farine assaisonnée, secouez-les pour retirer l'excédent de farine puis plongez-les dans la pâte avant de les faire frire. Quand les beignets sont bien dorés, égouttez-les sur du papier absorbant et servez-les aussitôt accompagnés de quartiers de citron et de mayonnaise à l'ail.

Pour 15-20 personnes

Conseil

Ce mets très apprécié est assez comparable à une spécialité japonaise, appelée tempura, dont on ignore souvent qu'elle est originaire de la péninsule Ibérique : elle a en effet été introduite au Japon il y a des siècles par les Portugais. En Espagne, les beignets de légumes se servent avec des quartiers de citron ou une mayonnaise à l'ail.

25 cl d'eau froide
125 g de farine de froment
60 g de Maïzena
1 pincée de sel
1 trait de jus de citron
1 jaune d'œuf
1 aubergine coupée en fines rondelles
les fleurons de ½ chou-fleur, blanchis de 3 à 4 minutes et égouttés
2 gros oignons coupés en rondelles, anneaux détachés
2 courgettes coupées en fines lamelles de 5 cm de long
1 poivron rouge ou 1 poivron vert coupé en lamelles
de 1 cm de large et 5 cm de long
farine assaisonnée pour enrober
huile de friture
quartiers de citron
mayonnaise à l'ail (voir page 107)

BEIGNETS DE LÉGUMES

Cambozola
à l'estragon et à l'ail

Cambozola con Estragón y Ajo

Conseils

Le cambozola est un fromage italien. Si vous le souhaitez, utilisez un autre fromage à pâte ferme et à saveur piquante (voire un assortiment de plusieurs variétés). Créez des variantes de cette recette en fonction de vos goûts, mais en veillant à ne pas employer d'ingrédients qui masqueraient totalement la saveur du fromage. Si vous le désirez, utilisez d'autres herbes aromatiques ou ajoutez des piments séchés à la marinade. Les tomates séchées au soleil constituent un excellent accompagnement.

Mélangez l'huile d'olive, le vinaigre, l'estragon haché, le poivre et l'ail dans un bocal ; fermez hermétiquement et laissez macérer une semaine. Filtrez l'huile puis versez-la sur le fromage dans une jatte. Couvrez et laissez mariner 2 jours. Servez garni de brins d'estragon et de lamelles de poivron.

Pour 8 personnes

50 cl d'huile d'olive vierge extra
20 cl de vinaigre à l'estragon
2 cuill. à soupe d'estragon frais haché
ou 2 cuill. à café d'estragon séché
2 cuill. à café de poivre du moulin
1 tête d'ail aux gousses écrasées mais non épluchées
500 g de cambozola coupé en dés de 2 cm
brins d'estragon frais pour garnir
lamelles de poivron rouge grillé (voir page 12)
pour garnir

CAMBOZOLA À L'ESTRAGON ET À L'AIL

Coca majorquine

Coca Mallorquín

500 g de pâte à pain

2 cuill. à soupe d'huile d'olive

100 g de poivron rouge coupé en dés

100 g de poivron vert coupé en dés

2 oignons coupés en fines rondelles

350-400 g de tomates hachées

2 cuill. à soupe de persil haché

sel

Pour préparer cette sorte de pizza espagnole, utilisez votre recette de pâte favorite ou achetez de la pâte à pizza toute faite au supermarché ou auprès d'un pizzaiolo.

Pétrissez la pâte sur un plan de travail, en ajoutant progressivement de l'huile d'olive. Roulez la pâte puis foncez-en un plat de 35 x 20 cm environ.

Préchauffez le four à 200 °C/Therm. 6. Dans une jatte, mélangez les poivrons, l'oignon, la tomate et le persil; salez à votre convenance. Étalez cette préparation sur la pâte puis faites cuire au four jusqu'à ce que la pâte soit bien dorée (30-45 minutes).

Pour 12 personnes

COCA MAJORQUINE

Boulettes de viande

Albóndigas

500 g de viande de porc
ou de bœuf hachée

60 g d'oignon haché menu

4 gousses d'ail finement hachées

1 cuill. à soupe de persil haché

60 g de chapelure

3 œufs

1 piment rouge émincé
ou 1 trait de sauce pimentée

poivre du moulin

sel

farine pour enrober

huile de friture

En Espagne, on prépare généralement ces boulettes avec de la viande de porc hachée, mais le bœuf convient très bien aussi. La recette suivante donne une quarantaine ou une cinquantaine de boulettes de 2-3 cm de diamètre. Servies comme tapas, les boulettes sont généralement accompagnées de mayonnaise à l'ail (voir page 104) ou réchauffée dans une riche sauce tomate (voir page 106).

Dans une jatte, mélangez soigneusement tous les ingrédients à l'exception de la farine. Laissez reposer 30 minutes pour que les saveurs se mêlent bien.

Dans une poêle à frire, chauffez suffisamment d'huile pour recouvrir les boulettes de viande ; portez-la à 180 °C (utilisez un thermomètre à friture). Roulez les boulettes dans la farine avant de les faire frire en les retournant à mi-cuisson. Égouttez-les sur du papier absorbant et servez aussitôt.

Pour 12 personnes

BOULETTES DE VIANDE

Brochettes mauresques

Pinchos Morunos

12 cl d'huile d'olive
1 cuill. à café de thym haché
1 cuill. à café de piment
en poudre
1 cuill. à café de paprika
2 cuill. à café de cumin moulu
1 cuill. à café de poivre du moulin
1 cuill. à café de sel
1 cuill. à café de persil haché
500-750 g de viande de porc
maigre coupée en dés de 2 cm

L'Espagne ayant été occupée par les Maures musulmans pendant huit siècles, les influences mauresques y sont multiples dans des domaines tels que l'architecture, la culture mais aussi la cuisine. Ces brochettes sont presque identiques aux kebabs d'Afrique du Nord à cette exception – d'importance – près : elles font généralement usage de viande de porc plutôt que d'agneau.

Mélangez tous les ingrédients hormis la viande dans un grand saladier. Ajoutez la viande et mélangez soigneusement le tout. Couvrez et laissez mariner au réfrigérateur jusqu'au lendemain. Allumez le barbecue. Égouttez la viande et réservez la marinade. Enfilez les dés de viande sur des brochettes. Faites bouillir la marinade dans une petite casserole, puis réservez-la. Lorsque le barbecue est prêt, faites-y cuire la viande à votre convenance, en arrosant fréquemment les brochettes de marinade. Servez aussitôt.

Pour 8 personnes

Brochettes d'agneau au romarin

Pinchos de Cordero con Romero

60 g de romarin frais haché
2 gousses d'ail finement hachées
le jus de 2 citrons
sel et poivre
25 cl d'huile d'olive
1 kg de viande d'agneau désossée
(ou d'aloyau), coupée en dés
de 2-3 cm

Pour que ces brochettes prennent toute leur saveur, coupez la viande en dés et faites-la mariner 24 heures.

Mélangez tous les ingrédients hormis la viande dans un grand saladier. Ajoutez la viande et mélangez le tout. Couvrez et laissez mariner au réfrigérateur jusqu'au lendemain. Allumez le barbecue. Égouttez la viande et réservez la marinade. Enfilez les dés de viande sur des brochettes. Faites bouillir la marinade dans une casserole, puis réservez-la. Lorsque le barbecue est prêt, faites-y cuire la viande à votre convenance, en arrosant fréquemment les brochettes de marinade. Servez aussitôt.

Pour 10 personnes

BROCHETTES MAURESQUES

Cuisses de poulet

Piernas de Pollo

16 cuisses de poulet
débarrassées de leur peau
farine pour enrober
huile d'olive (pour la friture)
1 oignon finement haché
1 cuill. à soupe d'ail haché
500 g de tomates en conserve
25 cl de bouillon de volaille
sel et poivre

Préchauffez le four à 150 °C/Therm. 2. Roulez les cuisses de poulet dans la farine. Chauffez l'huile à feu modéré dans une poêle, puis faites dorer le poulet en le retournant fréquemment. Retirez la viande de la poêle et versez l'excédent d'huile. Remettez la poêle à feu modéré pour faire revenir l'ail et l'oignon jusqu'à ce que ce dernier soit translucide ; poursuivez la cuisson pendant 15 minutes avec les tomates, retirez du feu et réduisez en purée au mixer avec le bouillon de volaille. Salez et poivrez.

Déposez les cuisses de poulet dans un plat creux ; recouvrez de sauce tomate. Couvrez le plat de papier d'aluminium et faites cuire 1 heure au four. Retirez le papier d'aluminium, retournez le poulet dans la sauce, versez l'excédent de liquide et poursuivez la cuisson au four pendant environ 30 minutes. Servez lorsque le poulet est bien tendre.

Pour 8 personnes

Salade de poulet

Ensalada de Pollo

1 poulet rôti de 1 à 1,5 kg

4 branches de céleri
coupées en petits dés

1 pomme épluchée et coupée
en petits dés

2 poivrons rouges épépinés
et coupés en petits dés

1 concombre pelé, épépiné
et coupé en petits dés

1 poire épluchée, vidée
et coupée en petits dés

10 brins de ciboule finement hachés

25 cl de mayonnaise à l'ail
(voir page 107)

sel et poivre

Détachez la viande de poulet (jetez la peau, les os et la carcasse, ou servez-vous-en pour préparer un bouillon) et coupez-la en dés de 2-3 cm. Mélangez avec les autres ingrédients dans un grand saladier, couvrez et laissez reposer ½ heure au réfrigérateur avant de servir.

Pour 12 personnes

SALADE DE POULET

Calmars à la romaine

Calamares a la Romana

1 kg de calmars frais nettoyés
(voir page 108)
farine pour enrober
4 œufs mélangés à 50 cl d'eau
chapelure pour enrober
huile de friture

Ce mets a acquis une vraie célébrité sur la scène culinaire interna-tionale. La recette ci-dessous, choisie parmi de multiples variantes, est l'une des plus appréciées en Espagne.

La réussite de cette recette repose sur la température de l'huile et la rapidité de la cuisson. Il convient de frire les cal-mars à 180-200 °C pendant 1 minute au plus ; de la sorte, les calmars restent tendres (si la cuisson se prolonge, ils ont tendance à devenir caoutchouteux). Sachez aussi que plus les calmars sont petits et plus ils ont des chances d'être tendres.

Versez 7-8 cm d'huile dans une poêle creuse. Portez-la à la température voulue (utilisez un thermomètre à friture). Tranchez les calmars en anneaux d'environ ½ cm de large. Roulez-les dans la farine, plongez-les dans la préparation à l'œuf puis enrobez-les de chapelure. Faites frire pendant 1 minute, égouttez sur du papier absorbant et servez aussitôt.

Pour 8 personnes

CALMARS À LA ROMAINE

Cocktail de crevettes

Cóctel de Gambas

1,5 l d'eau

8 brins de persil

6 grains de poivre

1 pincée de sel

500 g de grosses crevettes
non décortiquées

25 cl de mayonnaise à l'ail
(voir page 107)

1 bonne cuill. à soupe de ketchup

2 cuill. à café de cognac

1 bonne cuill. à café de persil haché

poivre du moulin

oignon haché (facultatif) pour garnir

laitue hachée pour garnir

paprika pour garnir

zestes de citron pour garnir

Dans une casserole, faites bouillir l'eau pendant 5 minutes avec 2 brins de persil, les grains de poivre et le sel, puis faites cuire les crevettes pendant 3-4 minutes avant de les égoutter et de les passer à l'eau froide. Décortiquez les crevettes puis coupez-les en deux dans la longueur.

Dans un saladier, mélangez la mayonnaise, le ketchup, les olives, l'œuf, le cognac, le persil haché et le poivre, ajoutez les crevettes et remuez délicatement. Déposez une couche d'oignon et de salade hachés dans des verres à cocktail (ou sur des petites assiettes – en ce cas, laissez les feuilles de salade entières). Déposez la préparation aux crevettes sur ce lit d'oignon et de salade, saupoudrez de paprika, puis décorez de zeste de citron et de brins de persil.

Pour 6 personnes

COCKTAIL DE CREVETTES

Crevettes grillées

Gambas a la Plancha

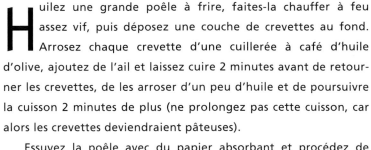

8 gousses d'ail
grossièrement hachées
12 cl d'huile d'olive
1 kg de grosses crevettes
non décortiquées
persil haché pour garnir
mayonnaise à l'ail (voir page 107)
pour accompagner

Huilez une grande poêle à frire, faites-la chauffer à feu assez vif, puis déposez une couche de crevettes au fond. Arrosez chaque crevette d'une cuillerée à café d'huile d'olive, ajoutez de l'ail et laissez cuire 2 minutes avant de retourner les crevettes, de les arroser d'un peu d'huile et de poursuivre la cuisson 2 minutes de plus (ne prolongez pas cette cuisson, car alors les crevettes deviendraient pâteuses).

Essuyez la poêle avec du papier absorbant et procédez de même jusqu'à ce que toutes les crevettes soient cuites (dans l'intervalle, mettez les crevettes déjà cuites dans le four tiède pour les garder chaudes). Parsemez de persil haché et servez avec une mayonnaise à l'ail.

Pour 8 personnes

Conseils

L'expression a la plancha signifie simplement que des ingrédients sont grillés, selon une méthode de cuisson fort couramment employée en Espagne pour les fruits de mer et les steaks. Le meilleur moyen de parvenir à ce résultat consiste à utiliser une grande poêle à frire très lourde, légèrement huilée et dans laquelle on continue d'ajouter de petites quantités d'huile en cours de cuisson. On fait cuire quelques crevettes à la fois, de façon que chacune d'elles reste en contact avec le fond de la poêle (on peut aussi les cuire au barbecue en les arrosant d'huile d'olive et d'ail). En Espagne, on déguste généralement les crevettes sans les avoir décortiquées au préalable.

CREVETTES GRILLÉES

Crevettes à l'ail

Gambas al Ajillo

8 gousses d'ail finement hachées

4 piments rouges épépinés et hachés

huile d'olive

1 kg de grosses crevettes

décortiquées et nettoyées

gros sel

Servez ce mets avec du pain frais en abondance.

Répartissez l'ail et les piments entre 8 ramequins allant au feu ; ajoutez suffisamment d'huile dans les ramequins pour que les crevettes en soient ensuite recouvertes. Chauffez à feu vif. Lorsque l'ail est bien doré, ajoutez les crevettes, faites cuire 1 minute puis retirez du feu. Saupoudrez de gros sel et servez aussitôt.

Pour 8 personnes

CREVETTES À L'AIL

Beignets de poisson

Pescado Frito

25 cl d'eau froide

125 g de farine de froment

60 g de Maïzena

1 pincée de sel

1 trait de jus de citron

1 jaune d'œuf

500 g de daurade

ou autre poisson maigre

huile de friture

farine pour enrober

Dans une jatte, fouettez l'eau, la farine de froment et la Maïzena jusqu'à obtention d'une pâte homogène. Lorsque vous plongez un doigt dans cette pâte, celle-ci doit s'écouler en laissant une fine couche sur le doigt. Sans cesser de battre, ajoutez le sel, le jus de citron et le jaune d'œuf. Couvrez et réfrigérez un quart d'heure environ.

Coupez le poisson en lamelles de 6 cm x 3 cm environ. Versez 7-8 cm d'huile dans une poêle creuse et portez-la à 200 °C (utilisez un thermomètre à friture). Roulez le poisson dans la farine puis enrobez de pâte. Faites frire les beignets ; lorsqu'ils sont bien dorés, égouttez-les sur du papier absorbant. Servez aussitôt.

Pour 8 personnes

Boulettes de poisson

Buñuelos de Pescado

500 g de pommes de terre

épluchées, cuites à l'eau

et réduites en purée

250 g de morue cuite à la vapeur

et débarrassée de ses arêtes

1 gousse d'ail finement hachée

1 cuill. à soupe de persil haché

1 pincée de sel

1 pincée de poivre

4 jaunes d'œufs

huile de friture

Un peu d'imagination suffit pour créer, comme en Espagne, maintes variantes de buñuelos *salées ou sucrées.*

Dans une grande jatte, mettez les pommes de terre, émiettez le poisson puis ajoutez l'ail, le persil, le sel et le poivre avant d'incorporer les jaunes d'œufs en battant au mixer.

Chauffez 3 cm d'huile dans une poêle à frire. L'huile de friture est prête quand un dé de pain plongé dans l'huile chaude grésille instantanément. Déposez ½ cuillerée à soupe de préparation au poisson dans l'huile. Lorsque les boulettes sont bien dorées, égouttez-les sur du papier absorbant puis servez-les chaudes.

Pour 8 personnes

BEIGNETS DE POISSON

Moules à la sauce tomate

Mejillones Madrileños

40 moules nettoyées

3 cuill. à soupe d'huile d'olive

1 oignon finement haché

4 gousses d'ail finement hachées

500 g de tomates en conserve

30 g de persil haché

2 feuilles de laurier

sel et poivre

parmesan fraîchement râpé,

pour saupoudrer

Dans une grande casserole, faites cuire les moules dans environ 5 cm d'eau; retirez-les dès qu'elles s'ouvrent et jetez celles qui ne s'ouvrent pas. Passez les moules à l'eau froide puis réservez-les. Jetez les demi-coquilles auxquelles les mollusques ne sont pas attachés.

Chauffez l'huile d'olive dans une grande poêle à frire, à feu modéré, puis faites revenir l'ail et l'oignon; lorsque ceux-ci sont translucides, ajoutez le reste des ingrédients à l'exception du fromage et faites réduire en sauce homogène.

Déposez les moules sur une plaque à pâtisserie, recouvrez chacune d'elles de sauce tomate et parsemez d'un peu de fromage. Faites dorer au gril et servez aussitôt.

Pour 8 personnes

MOULES À LA SAUCE TOMATE

Moules
à l'escabèche

Mejillones en Escabeche

ESCABÈCHE

40 cl d'huile d'olive

20 cl de vinaigre de vin

60 g d'oignon émincé

1 cuill. à soupe de persil haché

2 cuill. à café de paprika fort
ou de piment en poudre

le jus de 1 citron

sel et poivre

Dans une grande casserole, faites cuire les moules dans environ 5 cm d'eau ; retirez-les dès qu'elles s'ouvrent et jetez celles qui ne s'ouvrent pas. Passez les moules à l'eau froide puis réservez-les. Jetez les demi-coquilles auxquelles les mollusques ne sont pas attachés.

Pour préparer l'escabèche, mélangez tous les ingrédients dans une jatte en verre. Ajoutez les moules, couvrez et réfrigérez au moins 12 heures (ou mieux, 24 heures). Servez ces moules froides dans leur marinade.

Pour 8 personnes

Queues de langouste farcies

Langosta Rellena

8 queues de langouste
de 100 g chacune

5 cl d'huile d'olive

2 oignons finement hachés

4 gousses d'ail finement hachées

1 cuill. à soupe de gingembre frais
épluché et finement haché

2 cuill. à soupe de coriandre fraîche
hachée, plus 2 cuill. à soupe
de racines hachées

4 brins de ciboule finement hachés

12 cl de cognac

1 cuill. à soupe de paprika fort

2 cuill. à soupe de sauce pimentée
(voir pages 106-107)

4 poivrons rouges

250 g de tomates pelées
puis réduites en purée

2 cuill. à soupe de vinaigre de vin

30 g de beurre

Retirez la chair des queues de langouste en laissant la carapace intacte. Faites blanchir les carapaces de 2 à 3 minutes dans une casserole d'eau bouillante. Égouttez et rincez soigneusement. Retirez la membrane externe coriace de la chair de langouste, puis coupez cette chair en oblique, en tranches de 1 ou 2 cm d'épaisseur.

Chauffez l'huile dans une casserole, à feu modéré, pour y faire revenir pendant 4 minutes l'oignon, l'ail, le gingembre, les racines de coriandre et la partie blanche des brins de ciboule ; ajoutez le cognac puis, 1 minute plus tard, le paprika, la sauce pimentée, les poivrons réduits en purée (préalablement pelés, épépinés et grillés – voir p. 12), la purée de tomate et le vinaigre ; laissez mijoter de 15 à 20 minutes.

Faites fondre le beurre dans une poêle à frire, puis faites revenir les tranches de langouste avec la partie verte de la ciboule et les feuilles de coriandre. Lorsque la langouste est à demi cuite (elle change de couleur), égouttez-la avant de la plonger dans la sauce ; faites mijoter jusqu'à ce que la langouste soit entièrement opaque, puis retirez-la de la sauce et déposez-la dans les carapaces. Nappez de sauce et servez aussitôt.

Pour 8 personnes

QUEUES DE LANGOUSTE FARCIES

Salpicon de fruits de mer

Salpicón

25 cl d'huile d'olive

le jus de 1 citron

10 cl de vinaigre de vin blanc

60 g d'oignon finement haché

2 poivrons rouges grillés, pelés,

épépinés (voir page 12) puis coupés

en fines lamelles

500 g de langouste cuite

500 g de crevettes roses cuites

200 g de chair de crabe cuite

250 g de moules cuites

250 g de calmars coupés

en anneaux, pochés 1 minute

au vin blanc et égouttés

200 g de poisson à chair blanche

et ferme, cuit

Dans une grande jatte en verre ou en céramique, mélangez soigneusement l'huile d'olive, le jus de citron, le vinaigre, l'oignon et le poivron, puis les fruits de mer. Couvrez et réfrigérez plusieurs heures (ou mieux, jusqu'au lendemain), en remuant de temps à autre. Servez très froid.

Pour 10 personnes

Conseil

Pour une présentation spectaculaire, surmontez ce salpicon d'une langouste entière, de gambas ou de crabes cuits dans leur carapace.

SALPICON DE FRUITS DE MER

Méli-mélo de fruits de mer

Zarzuela Tapa

4 petits crabes de 125 g
ou 500 g de chair de crabe

2 cuill. à soupe d'huile d'olive

1 oignon finement haché

4 gousses d'ail finement hachées

8 gambas non décortiquées

250 g de thon ou autre poisson
à chair ferme (morue, par ex.)
coupé en dés de 2 cm

25 cl de fumet de poisson

500 g de tomates en conserve

3 piments rouges, épépinés
et hachés, ou 1 cuill. à soupe de
sauce pimentée (voir pages 106-107)

5 cl de cognac

12 cl de vin blanc sec

1 cuill. à soupe de persil haché

32 moules nettoyées

sel

Nettoyez les crabes et coupez-les au centre, de façon que chaque moitié porte une pince. Réservez

Chauffez l'huile à feu modéré dans une grande poêle à frire, faites revenir l'ail et l'oignon pendant 2 minutes, puis poursuivez la cuisson avec les crevettes, le crabe (s'il est cru) et les dés de poisson ; ajoutez la moitié du fumet de poisson et laissez mijoter. Retirez les fruits de mer à mesure qu'ils sont cuits. Quand tous les fruits de mer sont cuits, ajoutez le reste du fumet de poisson dans la poêle, ainsi que les tomates, les piments, le cognac, le vin et le persil ; laissez mijoter 10 minutes puis poursuivez la cuisson avec les moules, en les retirant au fur et à mesure qu'elles s'ouvrent et en jetant celles qui ne s'ouvrent pas.

Répartissez les moules entre 8 bols. Ajoutez le crabe (cuit ou cru), les crevettes et le poisson dans la sauce frémissante et laissez cuire 2 minutes. Répartissez la sauce et les fruits de mer dans les bols et servez aussitôt.

Pour 10 personnes

Palourdes à la marinière

Almejas a la Marinera

huile d'olive

1 oignon finement haché

6 gousses d'ail finement hachées

1 cuill. à soupe de farine

40 cl de vin blanc demi-sec

30 g de persil haché, plus persil

pour garnir

1 piment épépiné

sel et poivre

36 petites palourdes nettoyées

et dégorgées

Cette recette est sans doute la plus fréquemment employée pour cuisiner les palourdes.

Pour nettoyer les palourdes et les faire dégorger, grattez les coquilles et mettez les coquillages à tremper toute une nuit dans un récipient d'eau légèrement salée, placé dans un local frais.

Chauffez un peu d'huile dans une poêle, à feu modéré, puis faites revenir l'ail et l'oignon ; quand ceux-ci sont translucides, ajoutez la farine (laissez cuire 1 minute en remuant) puis le reste des ingrédients à l'exception des palourdes ; laissez cuire 10 minutes. Faites cuire les palourdes dans cette préparation, en les retirant au fur et à mesure qu'elles s'ouvrent et en jetant celles qui ne s'ouvrent pas. Parsemez d'un peu de persil et servez aussitôt.

Pour 4 personnes

Poulpes grillés

Pulpo a la Plancha

250 ml d'huile d'olive

4 gousses d'ail finement hachées

2 kg de poulpes attendris (voir p. 108)

60 ml de jus de citron

sauce pimentée aigre-douce

(voir p. 106)

POUR LE POULPE À LA GALICIENNE,
ajoutez une cuill. à café de paprika
au mélange huile d'olive/ail.

Dans un bol, mélangez l'huile d'olive et l'ail, puis laissez reposer de 3 à 4 h. Ôtez les têtes des poulpes et retirez le « bec » au centre des poulpes. Allumez le gril et laissez-le chauffer jusqu'à son maximum. Badigeonnez la plaque de cuisson avec la moitié du mélange huile d'olive/ail. Répartissez les poulpes sur la plaque et arrosez-les du jus de citron (les poulpes vont dégorger beaucoup de liquide, ce qui refroidira considérablement la plaque). Faites griller les poulpes 2 minutes de chaque côté.

Retirez les poulpes et grattez la plaque ; remettez-la à chauffer. Lorsqu'elle est très chaude, recouvrez-la du reste du mélange huile d'olive/ail. Lorsque l'huile commence à fumer, grillez les poulpes tête en bas jusqu'à ce que les extrémités des tentacules soient croquantes. Servez aussitôt avec la sauce pimentée aigre-douce.

Pour 8 personnes

PALOURDES À LA MARINIÈRE

Palourdes à la diable

Almejas al Diablo

huile d'olive

1 oignon finement haché

2 gousses d'ail finement hachées

250 g de tomates en conserve,
hachées

1 ou 2 piments rouges épépinés

2 feuilles de laurier

15 g de persil finement haché

25 cl de vin blanc sec

sel et poivre blanc

36 petites palourdes, dégorgées
(voir ci-dessous)

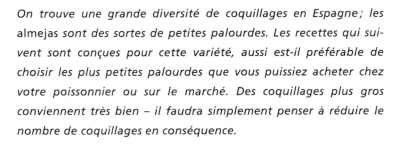

On trouve une grande diversité de coquillages en Espagne; les almejas sont des sortes de petites palourdes. Les recettes qui suivent sont conçues pour cette variété, aussi est-il préférable de choisir les plus petites palourdes que vous puissiez acheter chez votre poissonnier ou sur le marché. Des coquillages plus gros conviennent très bien – il faudra simplement penser à réduire le nombre de coquillages en conséquence.

Chauffez un peu d'huile dans une poêle à frire, à feu modéré, puis faites revenir l'ail et l'oignon; lorsque ceux-ci sont translucides, ajoutez les tomates, les piments, le laurier, le persil, le vin, du sel et du poivre. Portez à ébullition à feu vif et faites réduire légèrement.

Ajoutez les palourdes, couvrez bien la poêle et laissez mijoter en retirant les coquillages à mesure qu'ils s'ouvrent et en jetant ceux qui restent fermés.

Répartissez les coquillages entre des bols individuels, nappez de sauce et servez aussitôt.

Pour 4 personnes

Pour faire dégorger les coquillages

Le sable rendu par les coquillages en cours de cuisson est susceptible de gâcher totalement un plat. En faisant tremper les coquillages à l'avance, vous éviterez ce risque. Grattez les coquilles, puis placez les coquillages dans un récipient d'eau légèrement salée et laissez reposer toute une nuit en un lieu frais.

PALOURDES À LA DIABLE

Moules à la sauce tomate pimentée

Mejillones Mediterrasia

Dans une grande cocotte, chauffez l'huile à feu modéré puis faites revenir l'oignon, l'ail, le gingembre et les racines de coriandre de 3 à 4 minutes. Ajoutez les tomates, la sauce pimentée et le vin, salez puis laissez mijoter une dizaine de minutes.

Ajoutez les feuilles de coriandre et les moules, poussez le feu et couvrez la cocotte. Préparez 8 bols. À mesure que les moules s'ouvrent, retirez-les pour les répartir entre les bols. N'attendez pas plus de 2 minutes entre deux vérifications, car si les moules restent dans le jus une fois ouvertes, elles vont se ratatiner et devenir coriaces. Il faut de 6 à 10 minutes pour que toutes les moules soient ouvertes. Au-delà de ce délai, jetez toutes celles qui restent fermées.

Versez la sauce sur les moules puis servez-les garnies de brins de coriandre et de lamelles de poivron.

Pour 8 personnes

2 cuill. à soupe d'huile d'olive

2 oignons finement hachés

6 gousses d'ail finement hachées

1 cuill. à soupe de gingembre frais épluché et finement haché

1 botte de coriandre, racines et feuilles séparées et hachées finement

500 g de tomates en conserve réduites en purée

1 cuill. à soupe de sauce pimentée (voir pages 106-107)

30 cl de vin blanc sec

sel

1 kg de moules grattées et nettoyées

brins de coriandre pour garnir

poivron vert et poivron jaune coupés en fines lanières pour garnir

MOULES À LA SAUCE TOMATE PIMENTÉE

Plateau d'huîtres

Plato Variado de Ostras

sel gemme

36 huîtres ouvertes

3 cuill. à café d'œufs
de lump rouges

3 cuill. à café d'œufs de lump noirs

1 cocktail Bloody Mary
(vodka-tomate)

1 citron vert coupé en deux

poivre gris du moulin

12 cl de sauce béchamel

125 g de fromage râpé

3 cuill. à café de parmesan râpé

60 g d'épinards frais
finement hachés

1 cuill. à soupe de petits lardons

3 cuill. à café
de sauce Worcestershire

brins de persil pour garnir

quartiers de citron pour garnir

Cocktail à la tomate

Dans un bol, mélangez un trait de sauce Worcestershire, de Tabasco, le jus d'un citron ; salez et poivrez à votre convenance. Une fois le mélange homogène, ajoutez le jus de tomate.

Étalez une couche de sel gemme sur un plateau assez grand pour contenir les 36 huîtres. Posées sur ce lit de gros sel, les coquillages ne risqueront pas de se renverser en laissant couler leur sauce.

Disposez 18 huîtres sur le plateau. Déposez ½ cuillerée à café d'œufs de lump rouges sur 6 huîtres, de façon à les recouvrir à demi, puis ½ cuillerée à café d'œufs de lump noirs sur l'autre moitié de ces 6 huîtres. Recouvrez 6 autres huîtres de cocktail Bloody Mary, puis arrosez les 6 dernières huîtres de jus de citron vert avant de les saupoudrer d'un peu de poivre.

Placez les 18 huîtres restantes sur la lèchefrite. Dans une casserole, mélangez la moitié de la béchamel avec la moitié du fromage râpé. Chauffez à feu doux, en remuant de temps à autre ; lorsque le fromage a fondu, versez des cuillerées de cette préparation sur 6 huîtres, puis recouvrez de parmesan.

Faites blanchir les épinards (2 minutes dans l'eau bouillante) puis égouttez-les et pressez-les pour en exprimer le jus. Dans une casserole, mélangez les épinards avec le reste de la béchamel et du fromage râpé. Chauffez à feu doux, en remuant de temps à autre. Lorsque le fromage a fondu, versez des cuillerées de cette sauce sur 6 autres huîtres. Déposez des petits lardons sur les 6 dernières huîtres puis arrosez-les d'un peu de sauce Worcestershire.

Placez la lèchefrite sous le gril chaud jusqu'à ce que les sauces des huîtres dorent et bouillonnent. Déposez ces huîtres avec les autres sur le plateau. Servez garni de brins de persil et de quartiers de citron.

Pour 6 personnes

Salade de calmars et de poulpes

Ensalada de Calamares y Pulpo

1,5 kg de petits poulpes attendris
(voir glossaire)
1,5 kg de calmars
25 cl de vinaigre de vin blanc
1 oignon piqué de 12 clous de girofle
6 feuilles de laurier
12 grains de poivre blanc
1 cuill. à café de sel
1 cuill. à soupe d'aneth frais
finement haché
25 cl d'huile d'olive
12 cl de jus de citron
feuilles de laitue pour servir
quartiers de citron pour servir
poivre du moulin

Nettoyez les poulpes (retirez et jetez les têtes). Nettoyez soigneusement les calmars, en jetant les têtes mais en conservant les tentacules. Dans une grand cocotte, portez 3-4 litres d'eau à ébullition, ajoutez le vinaigre, l'oignon piqué de clous de girofle, le laurier, le poivre en grains et le sel ; laissez bouillir 10 minutes avant de faire cuire les calmars et les poulpes. Lorsqu'ils sont bien tendres (après 20-30 minutes de cuisson), retirez-les du bouillon et passez-les à l'eau froide. Retirez les peaux, jetez le contenu de la cocotte, coupez les poulpes et les tentacules des calmars en tronçons et les tubes des calmars en anneaux très minces.

Dans une jatte en verre ou en céramique, mélangez calmars et poulpes avec l'aneth, l'huile d'olive et le jus de citron. Couvrez et laissez mariner au réfrigérateur jusqu'au lendemain. Servez sur un lit de laitue, saupoudré de poivre et garni de quartiers de citron.

Pour 8-10 personnes

Variante

Il m'arrive d'apporter les modifications suivantes à cette recette : je remplace le jus de citron par du jus de citron vert et l'aneth par de la coriandre fraîche, et relève la marinade d'une cuillerée à soupe de sauce pimentée (voir pages 106-107).

Sardines à l'escabèche piquante

Sardinas en Escabeche Picante

1 kg de sardines fraîches

huile d'olive pour la friture

farine salée et assaisonnée d'un peu

de piment en poudre, pour enrober

ESCABÈCHE

1 l d'huile d'olive

20 gousses d'ail écrasées

mais non épluchées

2 gros oignons coupés en fines rondelles

1 cuill. à soupe de gingembre frais

épluché et émincé

1 cuill. à soupe de racine de coriandre

25 cl de purée de tomate

2 cuill. à soupe de concentré

de tomate

75 cl de vinaigre

12 feuilles de laurier

1 ou 2 cuill. à soupe de sauce

pimentée (voir pages 106-107)

2 cuill. à soupe de coriandre hachée

sel

4 poivrons rouges grillés, pelés, épépinés

et coupés en lamelles (voir page 12)

Cette recette constitue une adaptation personnelle d'une méthode tradition-nellement employée en Espagne pour conserver les sardines. Si vous préfé-rez la marinade espagnole, remplacez le gingembre, la sauce pimentée et la coriandre par du thym et de l'origan frais ajoutés au vinaigre.

Nettoyez les sardines ; coupez et jetez les têtes, puis rincez et séchez les poissons. Versez une bonne couche d'huile dans une poêle à frire, faites chauffer à feu modéré. Roulez les sardines dans la farine assaisonnée, secouez-les pour les débarrasser de l'excédent de farine avant de les faire dorer rapidement d'un côté puis de l'autre sans les cuire en profondeur. Égouttez les sardines sur du papier absorbant.

Pour préparer l'escabèche, chauffez l'huile dans une cocotte puis faites revenir l'ail, l'oignon, le gingembre et la racine de coriandre pendant 5 minutes ; incorporez la purée et le concentré ; le vinaigre, le laurier, la sauce pimentée et la coriandre, salez et laissez mijoter 30 minutes.

Pendant ce temps, déposez les sardines dans une jatte en inox ou en terre, en couches séparées par des couches de lamelles de poivron rouge. Versez la marinade sur les sardines, de façon à bien les couvrir toutes. Laissez refroidir puis couvrez et réfrigérez pendant au moins quatre jours avant de servir (les arêtes se seront complètement ramollies). Servez très froid.

Pour 15-20 personnes

SARDINES À L'ESCABÈCHE PIQUANTE

les sauces

J'adore les samossas indiens, cousins des empanadas, servis accompagnés d'une sauce. Aucune des préparations suivantes n'est liée à la cuisine espagnole, mais ce sont les deux que je propose le plus fréquemment avec mes empanadas – j'ajoute que jamais je ne sers de tapas sans empanadas.

Sauce pimentée

500 g de piments rouges
60 cl d'eau
1 cuill. à soupe de vinaigre de vin blanc
1 cuill. à café de sucre semoule
2 cuill. à soupe d'huile d'arachide
12 cl d'eau bouillante

Retirez les tiges des piments, ainsi que les pépins si vous ne souhaitez pas que la sauce soit trop forte. Dans une casserole, mettez les piments dans l'eau, portez à ébullition, couvrez, réduisez le feu puis laissez mijoter une quinzaine de minutes. Lorsque les piments sont bien tendres, égouttez-les puis réduisez-les en purée au robot ménager avant d'ajouter le vinaigre, le sucre, l'huile d'arachide et l'eau bouillante dans le bol du robot ménager pour obtenir une sauce homogène. Versez dans des bocaux stérilisés, puis fermez hermétiquement ceux-ci. Cette sauce se conserve jusqu'à un mois au réfrigérateur.

Pour environ 40 cl de sauce

Sauce pimentée aigre-douce

1 cuill. à soupe de sauce pimentée (voir recette ci-après)
1 cuill. à soupe de cassonade
2 cuill. à soupe de sucre semoule
75 cl de vinaigre de vin blanc

Mélangez tous les ingrédients dans une casserole, faites bouillir une dizaine de minutes puis laissez refroidir. Cette sauce se conserve jusqu'à trois mois au réfrigérateur.

Pour 75 cl de sauce environ

Sauce tomate

Cette riche sauce tomate accompagne à la perfection les albóndigas (voir pages 66-67).

2 gousses d'ail pressées
1 oignon haché menu
huile d'olive
500 g de tomates en conserve réduites en purée
2 ou 3 feuilles de laurier
sel et poivre du moulin
herbes aromatiques : thym par ex. (facultatif)

Faites tiédir un peu d'huile d'olive dans une poêle, à feu modéré, puis faites revenir l'ail et l'oignon; lorsque ceux-ci sont translucides, ajoutez la purée de tomate, le laurier, éventuellement les herbes aromatiques, salez et poivrez puis laissez mijoter ½ heure à feu doux.

Pour 75 cl de sauce

Variante : Mélangez dans une casserole 6 gousses d'ail finement hachées, 1 cuillerée à soupe de persil haché et 125 g de beurre fondu; laissez mijoter 2 minutes et servez chaud.

Sauce tomate épicée

Cette sauce accompagne délicieusement les artichauts farcis.

huile d'olive

1 oignon finement haché

3 gousses d'ail finement hachées

500 g de tomates en conserve
réduites en purée

1 piment rouge épépiné et haché

2 feuilles de laurier

sel et poivre

Chauffez un peu d'huile d'olive à feu modéré dans une poêle. Faites revenir l'ail et l'oignon ; quand ils sont translucides, ajoutez la purée de tomate, le piment, le laurier, salez et poivrez puis faites réduire en sauce (de 20 à 30 minutes).

Pour 75 cl de sauce

Mayonnaise et mayonnaise à l'ail (Mayonesa y Alïoli)

La mayonnaise et la mayonnaise aillée accompagnent fréquemment les tapas. Les deux se trouvent toutes faites dans le commerce, mais les préparations maison sont de toute évidence bien meilleures. Elles se conservent au moins une semaine au réfrigérateur, dans un bocal hermétiquement fermé.

3 jaunes d'œufs

1 cuill. à soupe
de vinaigre de vin blanc

1 pincée de sucre
en poudre

1 cuill. à soupe
de moutarde

sel et poivre

50 cl d'huile d'olive

1 cuill. à café
de jus de citron

Mélangez les jaunes d'œufs, le vinaigre, la moutarde, le sucre, le sel et le poivre dans une grande jatte, puis battez le tout au fouet électrique. Incorporez progressivement l'huile, quelques gouttes à la fois tout d'abord, puis en mince filet à mesure que la mayonnaise monte. Incorporez le jus de citron, goûtez et rectifiez éventuellement l'assaisonnement.

Si vous préparez la mayonnaise au robot ménager, versez d'abord les jaunes d'œufs dans le bol du robot puis faites fonctionner celui-ci tout en versant doucement l'huile. Lorsque la mayonnaise commence à monter, incorporez alternativement l'huile et les autres ingrédients ; goûtez et rectifiez éventuellement l'assaisonnement.

Pour la mayonnaise aillée, ajoutez au moins deux gousses d'ail émincées à la préparation avant de verser l'huile.

Pour 75 cl de mayonnaise

Glossaire

Il est généralement très facile de se procurer dans le commerce la plupart des ingrédients utilisés dans le présent ouvrage. Des produits tels que les olives, l'huile d'olive et les vins espagnols sont largement distribués dans maints pays depuis plusieurs années. Quelques ingrédients seulement seront plus difficiles à trouver. Voici une petite liste (non exhaustive) de produits fréquemment employés dans la préparation des tapas ainsi que des conseils sur la manière de les utiliser.

Calmars
Il vaut la peine de dépenser davantage pour acheter de petits calmars frais plutôt que des mollusques surgelés. Il vous faudra les nettoyer vous-même, mais vous en serez récompensé par une saveur incomparablement meilleure. Retirez la tête et les intestins qui y sont attachés hors du corps tubulaire. Retirez et jetez la plume. Coupez les « ailes » si vous le souhaitez, et retirez les yeux et le bec. Détachez la peau avec les doigts. Utilisez le tube et les tentacules comme indiqué dans les recettes après les avoir rincés à l'eau froide.

Chorizo
Cette saucisse de porc plus ou moins pimentée doit sa coloration orangée au paprika. Ses usages sont multiples ; on consomme le plus souvent le chorizo débité en rondelles, froid ou chaud, accompagné de pain. Le chorizo espagnol ou portugais se trouve sans problème dans la plupart des charcuteries et des magasins d'alimentation.

Cognac
Plusieurs recettes de ce livre comprennent du cognac. Si vous trouvez une bonne eau-de-vie espagnole, ce sera parfait, sinon un bon cognac convient tout à fait. Évitez d'employer un eau-de-vie de piètre qualité, car toute la saveur du mets risquerait d'en être gâtée.

Huile d'olive
Chaque fois qu'une recette comprend de l'huile d'olive, utilisez une huile d'Espagne, dont la saveur particulière joue un rôle important dans la réussite de nombre des spécialités figurant dans ce livre.

Palourdes
La plupart des recettes de tapas font appel à de petites palourdes. Si vous ne parvenez pas à vous en procurer, utilisez des coquillages plus gros et réduisez la quantité des autres ingrédients de la recette. Attention toutefois : les grosses palourdes sont plus coriaces que les petites.

Piments forts
Les tapas font un usage abondant des piments rouges, le plus souvent utilisés sous forme séchée pour relever un plat. Ils n'ont pas pour fonction de rendre les mets exagérément épicés, mais je dois reconnaître que j'ai tendance à avoir la main lourde ; c'est là une préférence personnelle, mais j'ai constaté que mon goût des plats épicés était très largement partagé. Plutôt que d'employer des piments frais ou séchés, je fais fréquemment appel à une sauce pimentée originaire d'Indonésie, à base de piments rouges, de sel et de vinaigre. Le meilleur moyen d'avoir du piment à portée de main consiste à conserver un bocal de sauce pimentée au réfrigérateur. Elle se garde presque indéfiniment, possède une saveur merveilleuse et se trouve dans maintes boutiques de produits exotiques.

Poulpe
Si vous ne pouvez vous procurer de petits poulpes attendris ou si vous disposez de pieuvres fraîches plus grosses, suivez la méthode ci-dessous. En tenant fermement le poulpe, battez-le ou projetez-le avec force contre une surface dure (du béton, par exemple), à une trentaine ou une quarantaine de reprises. Nettoyez soigneusement chaque poulpe et jetez la tête. Retirez et jetez le « bec » au centre du poulpe ainsi que 2 cm à l'extrémité des tentacules.

Portez à ébullition une grande casserole d'eau ; plongez le poulpe pendant 30 secondes dans l'eau bouillante puis retirez-le. Lorsque l'eau se remet à bouillir, recommencez l'opération. Procédez ainsi 3 fois de plus, puis ajoutez pour 2 litres d'eau un oignon épluché piqué de 6 clous de girofle, 1 feuille de laurier, 6 grains de poivre blanc et 2 cuillerées à soupe de vinaigre. Plongez le poulpe dans l'eau chaude et laissez mijoter à feu modéré. Il n'existe pas de formule exacte quant au temps de cuisson : tout dépend de la tendreté et de l'épaisseur des tentacules. Au bout d'une heure de cuisson, goûtez un morceau de poulpe ; recommencez tous les quarts d'heure jusqu'à ce que le poulpe soit bien tendre (la cuisson peut prendre jusqu'à 3 heures). Égouttez le poulpe cuit et coupez les tentacules en oblique, en tronçons de la grosseur d'une bouchée.

Serrano
Le serrano et le jamón serrano sont des jambons crus de très grande qualité provenant des régions montagneuses d'Espagne. Vous pouvez les remplacer par d'autres jambons crus de premier choix.

Tocino
Cette spécialité charcutière espagnole rappelle le bacon, mais possède une saveur particulière. On en trouve dans certaines boutiques de produits méditerranéens. Si vous ne pouvez vous en procurer, utilisez du bacon, du lard fumé ou de la pancetta.

Tomates
Lorsque les tomates en grappe de qualité ne sont pas de saison, j'utilise toujours des tomates en conserve de premier choix, dont la saveur est excellente.

Index

Responsable éditoriale : Deborah Nixon
Directrice de fabrication : Sally Stokes
Coordination éditoriale : Alexandra Nahlous
Édition : Judith Dunham
Maquette : Kerry Klinner
Stylisme et photographies : Vicki Liley

Adaptation française : Nicolas Blot
Coordination de l'édition française : Philippe Brunet
Réalisation : PHB Services d'édition

ISBN : 2-87677-418-6
Dépôt légal : 1er trimestre 2001

Imprimé à Singapour